Momo ouvre un magasin

Nadja

Momo ouvre un magasin

Mouche de poche
l'école des loisirs
11, rue de Sèvres, Paris 6^e

© 1990, l'école des loisirs, Paris
Loi numéro 49.956 du 16 juillet 1949 sur les publications
destinées à la jeunesse : septembre 1990
Dépôt légal : janvier 1992
Imprimé en France par Jean Lamour à Maxéville